**Aos jovens, que não percam
a emoção de uma palavra.**

© 2016 do texto por Nereide S. Santa Rosa
© 2016 das ilustrações por Angelo Bonito
Callis Editora Ltda.
Todos os direitos reservados.
1ª edição, 2019

Texto adequado às regras do novo Acordo Ortográfico da Língua Portuguesa

Coordenação editorial: Miriam Gabbai
Editora assistente: Áine Menassi
Revisão: Ricardo N. Barreiros
Diagramação: Thiago Nieri

Dados Internacionais de Catalogação na Publicação (CIP)
Angélica Ilacqua CRB-8/7057

Santa Rosa, Nereide Schilaro, 1953-

Vinicius de Moraes / Nereide Schilaro Santa Rosa ; ilustrações de Angelo Bonito. – São Paulo : Callis, 2019.
24 p. : il., color. (Crianças Famosas)

ISBN 978-85-454-0062-2

1. Moraes, Vinicius de, 1913-1980 - Infância e adolescência - Literatura infantojuvenil 2. Literatura infantojuvenil I. Título II. Bonito, Angelo, 1962- III. Série

19-0302   CDD: 028.5

Índices para catálogo sistemático:
1. Literatura infantojuvenil 028.5

ISBN: 978-85-454-0062-2

Impresso no Brasil

2019
Callis Editora Ltda.
Rua Oscar Freire, 379, 6º andar • 01426-001 • São Paulo • SP
Tel.: (11) 3068-5600 • Fax: (11) 3088-3133
www.callis.com.br • vendas@callis.com.br

Crianças Famosas

Vinicius de Moraes

Nereide S. Santa Rosa e Angelo Bonito

callis

No ano de 1913, o Rio de Janeiro estava crescendo, mas alguns bairros ainda tinham casas antigas e chácaras do século passado. Marcus nasceu em uma dessas casas, na chácara de seu avô, Antonio Burlamarqui, no Jardim Botânico. O terreno era bem grande, tinha um riacho e se estendia até o morro do Corcovado.

Morava com seus pais – dona Lydia e senhor Clodoaldo –, sua irmã Lygia, os seus avós maternos e seus tios, entre eles o tio Niboca, um garoto alguns meses mais novo que Marcus e que se tornou amigo e companheiro de brincadeiras até ficarem adultos.

Seu nome completo era Marcus Vinitius da Cruz e Mello Moraes, mas ficaria conhecido como Vinicius de Moraes, nosso poeta.

Com dois anos, Vinicius vivia livre e descalço, explorando o quintal e subindo em árvores. Quando ficava cansado, sentava-se no terraço e se deliciava com a fruta-pão assada no forno pela avó Celestina – ou Cestinha, como os netos a chamavam – e também com outras frutas colhidas por ela no pomar. Na chácara também havia criação de aves, um lago e uma vaca de estimação.

"O que é um campo sem vacas senão mera paisagem?" Vinicius escreveria isso anos mais tarde.

Aos três anos, Vinicius ganhou mais uma irmã, a Laetitia, e uma nova casa. Sua família foi morar com a vó Nenem e o avô Anthero, que eram os pais do senhor Clodoaldo, no bairro do Botafogo.

Vinicius adorava seu avô. Gostava de ouvir sua fala em italiano, observar o seu jeito de ser e de agir. Certa vez, convidou-o para ir ao cinema, mas o avô respondeu com firmeza que não iria. Admirado com a reação, Vinicius perguntou o motivo e o avô respondeu que filmes eram só invencionices!

Vô Anthero tinha um carro conversível em que Vinicius, Lygia e Laetitia adoravam passear. De vez em quando, ele levava a dona Lydia e as crianças para a praia em seu carro. Os irmãos corriam para o mar, banhando-se nas ondas de Copacabana sob o olhar vigilante de dona Lydia.

Quando não iam à praia, Vinicius e o tio Niboca resolviam tomar banho na Lagoa Rodrigo de Freitas!

À noite, o dia terminava com muita música ao sabor do piano tocado por sua mãe. O pai trazia novas partituras para a dona Lydia, que aprendia a tocar rapidamente, para a alegria de todos. Quando ela começava a tocar, as crianças dançavam pela sala.

– Toca aquele tango, "La Cumparsita!" – pediam as crianças.

E a noite não acabava tão cedo.

Certa vez, a diversão ficou por conta de Vinicius. Ele organizou um teatro de sombras em sua casa. Apresentava pequenas histórias que ele mesmo inventava, utilizando figuras recortadas por trás de um lençol pendurado e iluminado com vela.

    O sucesso foi tanto que chegou a cobrar a entrada para a plateia, formada pela sua família e pelo pessoal da vizinhança.

Vinicius gostava de procurar novidades pela casa. Certo dia, levou um susto.

– Vinicius, o que está fazendo? Quem lhe deu permissão para abrir essa gaveta? – disse a sua mãe.

Assustado, deixou a gaveta cair e várias folhas de papel se espalharam pelo chão.

– O que são esses papéis? – perguntou curioso.

– Aqui estão as poesias escritas por seu pai. Ele escreve, depois as joga fora, ou esquece por aí. Quando eu encontro alguma, guardo aqui nesta gaveta – explicou dona Lydia.

Nesse dia, Vinicius descobriu que seu pai escrevia poesias, mas não as mostrava para ninguém.

– Mas o que é uma poesia? – perguntava-se Vinicius.

Resolveu pedir à sua mãe que o deixasse lê-las. E descobriu que poesias eram frases com palavras que combinavam os sons e que contavam sobre ideias e sentimentos. Nunca mais as esqueceu. Muitas delas serviriam de inspiração para o futuro poeta.

O primeiro livro que leu foi da coleção "Tesouro da juventude", que ficava guardada na estante do avô Anthero. Nesse livro, descobriu mais poesias e outros poetas. Curioso, gostava de ler para aprender palavras novas, descobrir o que significavam e novas maneiras de escrever poesias.

Certa vez, o seu avô Antonio lhe deu um caderno com capa dura que foi batizado de "Arca da Fé". Ali Vinicius começou a escrever poesias. Copiava algumas, lia e estudava outras, e criava novas, combinando palavras e rimas.

Vinicius, o menino-poeta, aprendia com facilidade combinando o som e o sentido das palavras.

Quando nasceu o seu irmão Helius, Vinicius e Lygia foram estudar em sua primeira escola. Foi ali que, certo dia, pensou em escrever uma poesia para a Cacy, sua colega de escola. Anos mais tarde, Vinicius diria que ela teria sido sua primeira namoradinha.

Começava assim: "Quantas saudades eu tenho de ti, ó flor primorosa", verso copiado de um poema de seu pai. Vinicius queria logo lhe dar de presente, mas esperou até o final do ano letivo. Anos mais tarde, ele soube que Cacy guardou aquela declaração até o fim de sua vida.

Um dia, sua mãe adoeceu. Todos ficaram preocupados e os pais de Vinicius resolveram morar em uma casa na Ilha do Governador para que a mãe melhorasse de saúde. Vinicius, já com 11 anos, e Lygia, dois anos mais velha, ficaram morando com os avós e visitavam os pais durante as férias.

No colégio dos padres jesuítas, o tempo passava lentamente e as tão esperadas férias pareciam distantes. Enquanto as esperava, Vinicius participava do teatro, do coral e escrevia versos.

Certo dia, resolveu aceitar um desafio: subir em um barranco que ficava no fundo da escola. Todos os meninos queriam fazer isso, mas apenas Vinicius teve coragem e conseguiu!

Era persistente e acreditava em si mesmo!

O problema surgiu quando resolveu descer: estava muito alto e qualquer movimento poderia ser um desastre. Mesmo assim, valente, foi descendo com cuidado, enfrentando o próprio medo.

Apenas no final, já perto do chão, seu amigo pode lhe dar a mão e ajudá-lo a chegar ao chão com segurança.

Vinicius adorava uma aventura. Quando as férias chegavam, ele brincava escalando muros, pulando buracos, aproveitando a vida e fazendo amigos.

Certa noite, Vinicius não conseguia dormir. Resolveu pular a janela do seu quarto e, sozinho, foi até a beira do mar. Ficou olhando o horizonte e as estrelas até que deitou na areia.

Ali, sozinho, começou a imaginar o infinito do céu e a ouvir o barulho das ondas, do vento, das folhas...

Ficou ali, meio sonolento, apenas com sua imaginação, até o sol nascer, quando resolveu voltar para casa, pulando novamente a janela para dormir em sua cama.

O mar sempre esteve próximo do menino-poeta, seja no Rio de Janeiro, seja na Ilha do Governador. Seja na praia ou nas ondas...

Na ilha, Vinicius tinha três amigos, os gêmeos Quincas e Mário e o irmão mais velho deles, o Augusto. Os quatro amigos costumavam ir para a praia de Cocotá para se divertir.

Augusto gostava de dar sustos. Ele mergulhava no mar direto da ponte e demorava a retornar.

Vinicius e os gêmeos, com o coração batendo forte, ficavam torcendo para Augusto aparecer. Finalmente, ele saltava de dentro do mar sempre trazendo alguma coisa lá do fundo, desde sapatos até caranguejos.

Gostava de ver os olhares admirados dos três garotos. Foi Augusto que ensinou Vinicius a nadar e a mergulhar no mar.

Certa vez, os quatro garotos saíram de barco para pescar. Augusto inventou um jeito estranho de fazer isso: ele jogava uma bombinha no mar e, quando ela explodia, os peixes ficavam atordoados. Nessa hora, os quatro mergulhavam para recolher os peixes em pequenos sacos.

Era tanto peixe que, às vezes, Vinicius os colocava até dentro de sua roupa de banho, o que causava arrepios no garoto.

As histórias, experiências e brincadeiras foram ficando para trás. E o menino-poeta se tornou um rapaz romântico e sensível. Cada vez mais, Vinicius escrevia poemas e textos.

Certo dia, sua professora lhe perguntou:

– Vinicius, o que você quer ser quando for adulto?

Sua resposta veio rápida e direta:

– Quero ser poeta!

Vinicius aprendeu a tocar violão e organizou um conjunto musical com seus amigos. Começou a juntar a música e a poesia e nunca mais parou.

No início, escrevia para si mesmo e para seus amigos, depois vieram os grandes compositores, parceiros ao longo da vida.

Os seus poemas e canções ficaram famosos no mundo todo.

Vinicius de Moraes foi poeta, músico e cantor. Ele publicou livros, trabalhou para jornais e para o cinema, foi autor de peças de teatro e filmes, crítico musical e participou de inúmeros shows e festivais pelo mundo. Também foi um dos criadores da Bossa Nova.

Entre suas obras mais famosas estão:

"Chega de saudade" (letra e música de Vinicius de Moraes).

"Aquarela" (Vinicius de Moraes, Toquinho, Guido Morra e Maurizio Fabrizio).

"A casa" (Vinicius de Moraes, Sergio Endrigo e Sergio Bardotti).

"Garota de Ipanema" (Antonio Carlos Jobim e Vinicius de Moraes).